MEASUREMENT

팩토슐레 Math Lv. 2 교재 소개

" 우리 아이 첫 수학도 창의력을 키우는 **FACTO**와 함께! "

- **팩토슐레**는 처음 수학을 시작하는 유아를 위한 창의사고력 전문 프로그램입니다.
- **팩토슐레**는 만들기, 게임, 색칠하기, 붙임딱지 붙이기 등의 다양한 수학 활동을 하면서 스스로 수학 개념을 알 수 있도록 구성하였습니다.

※팩토슐레는 6권으로 구성되어 있으며, 각 권에는 30가지의 재미있는 활동이 수록되어 있습니다.

누리과정

팩토슐레는 누리과정 · 초등수학과정을 연계하여 수학의 5대 영역(수와 연산, 공간과 도형, 측정, 규칙, 문제해결력)을 균형 있게 학습할 수 있도록 하였습니다.

특히 가장 중요한 수와 연산은 각 권으로 구성하여 깊이 있는 학습이 가능하도록 하였습니다.

STEAM PLAY MATH

팩토슐레는 4, 5, 6세 연령별로 학습할 수 있도록 설계한 놀이 수학입니다.

매일매일 놀이하듯 자르고, 붙이고, 색칠하는 30가지의 재미있는 활동을 통해 창의사고력을 기를 수 있습니다.

동화책풍의 친근한 그림

팩토슐레는 동화책풍의 그림들을 수록하여 아이들이 수학을 더욱 친근하게 느끼며 좋아할 수 있도록 하였습니다. 또한 한글을 최소화하고 학습 내용을 직관적으로 이해할 수 있도록 하였습니다.

팩토슐레 Math Lv. 2 교구·App 소개

"수학 교육 분야 **증강현실**(AR)과 **사물인식**(OR) 기술을 **국내 최초** 도입"

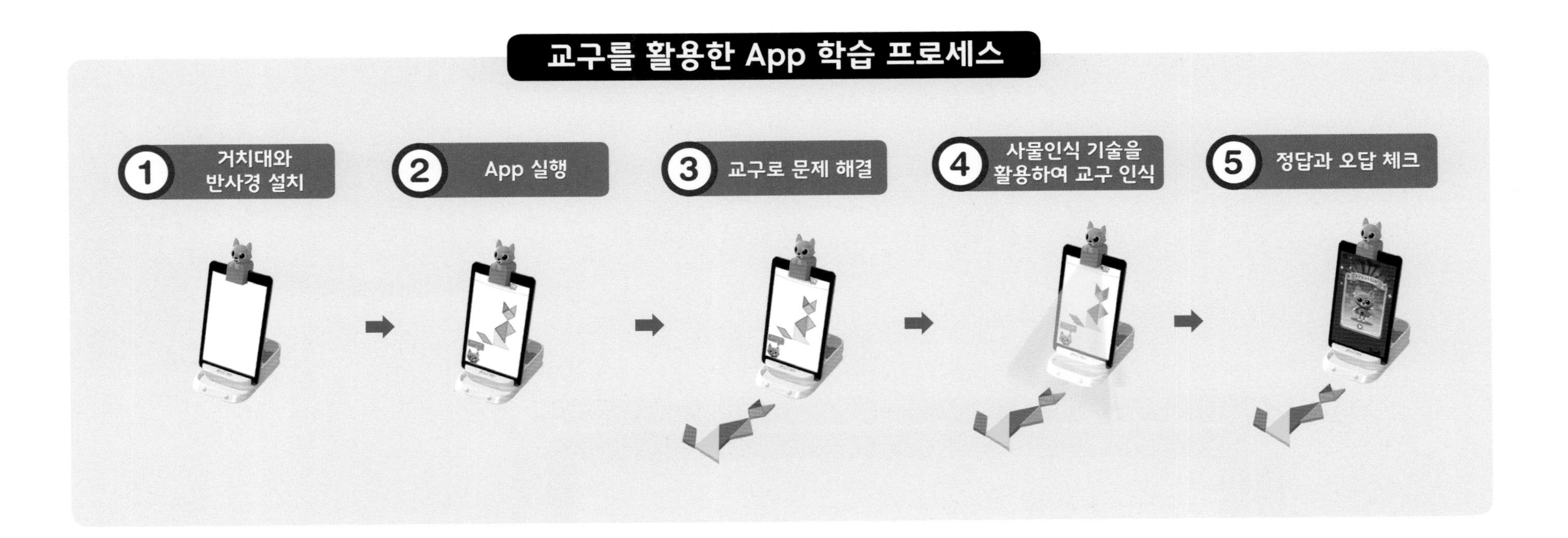

자기주도학습 팩토슐레 App만의 장점

팩토슐레 App은 사물인식(OR) 기술을 사용하여 아이들의 학습 정보를 습득한 후, App에 프로그래밍된 학습도우미를 통하여 아이들이 문제 푸는 것을 힘들어하거나 틀릴 경우에는 힌트를 제공합니다.
이와 같은 방식의 스마트기기와의 상호작용은 학습의 효율을 높이고 자기주도학습 능력을 길러 줍니다.

완벽한 학습 설계 App 다른 교육 App과의 차별점

팩토슐레 App은 수학 교육 목표에 맞게 완벽한 학습 설계가 되어 있습니다. 아이들은 게임 기반의 학습 App을 진행하면서 어려운 문제도 술술 풀 수 있습니다.

증강현실(AR) 기술 도입

팩토슐레 App은 아이들이 캐릭터와 사진도 찍고, 자신이 그린 그림으로 자기만의 쿠키도 만들면서 학습 몰입도를 높일 수 있습니다.

01 뱀들이 피리 소리에 맞춰 춤을 추려고 해요. 뱀을 잡아당겨서 **긴 뱀과 짧은 뱀**을 찾아보세요.

활동지 1

엄마는 선생님!

잡아당긴 뱀의 길이를 비교하여 **'길다, 짧다'**를 알 수 있습니다.

02

마당에서 아빠는 채소에 물을 주고 있고, 엄마는 빨래를 널고 있어요. 친구들은 마당에서 무엇을 하고 있나요? 마당 안의 모습들을 보고 **'길다, 짧다'**로 이야기해 보세요.

엄마는 선생님!

연의 줄, 가지, 고추, 빨래, 장난감 기차, 줄넘기 줄의 길이 등을 비교하여 **'길다, 짧다'**로 표현할 수 있습니다.

03

엄마와 함께 몸이 길어졌다, 짧아졌다 하는 악어를 만들어 보세요.
악어의 몸이 짧아지려면 어떻게 해야 할까요?

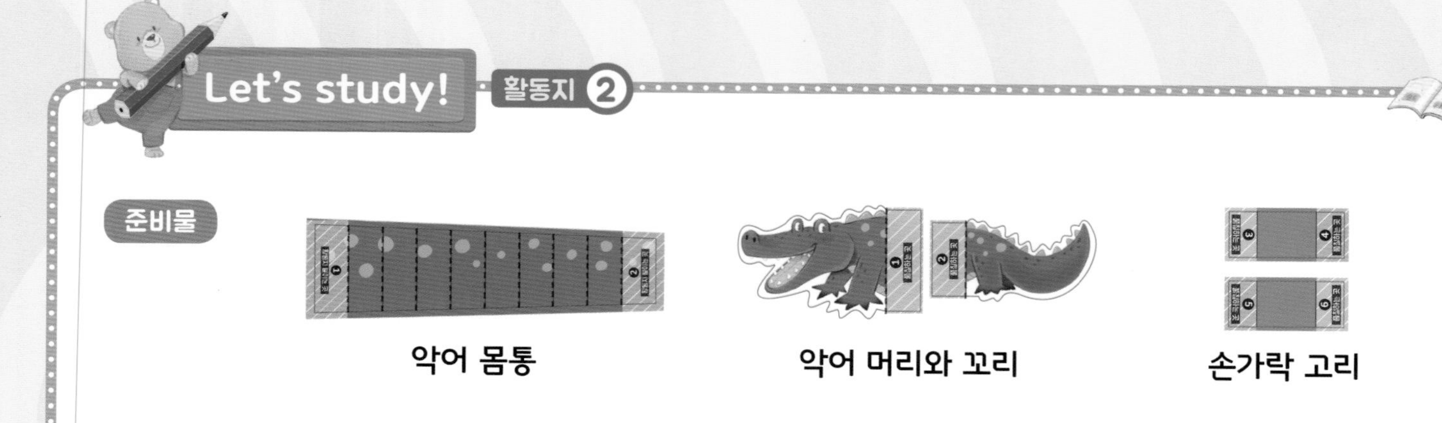

❶ 활동지를 지그재그로 접어 그림과 같이 악어 몸통을 완성합니다.

❷ 악어 몸통의 넓은 쪽에는 악어 머리를, 좁은 쪽에는 악어 꼬리를 붙입니다.

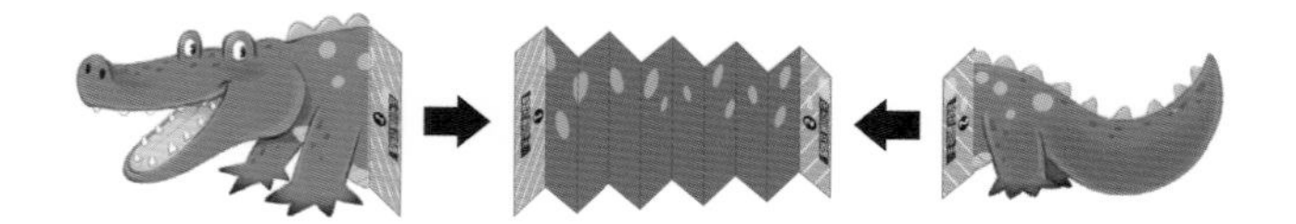

❸ 악어를 뒤집어 놓고 악어 머리와 꼬리 부분에 손가락 고리를 붙입니다.

❹ 고리에 손가락을 끼워 넣어 악어의 몸통을 늘였다, 줄였다 해 봅니다.

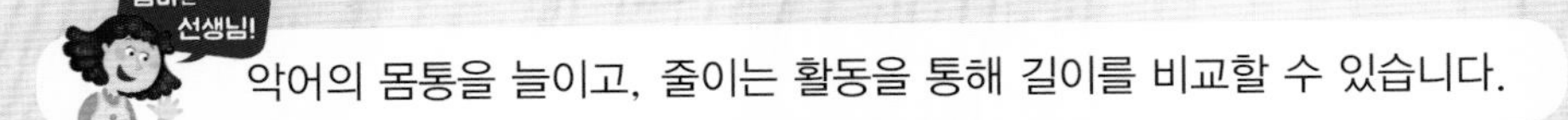

악어의 몸통을 늘이고, 줄이는 활동을 통해 길이를 비교할 수 있습니다.

04 산이 높으면 높을수록 하늘과 가까워져요. 책을 펼쳐서 **높은 산, 낮은 산**을 찾아보세요.

산의 높이를 비교하여 **'높다, 낮다'**를 알 수 있습니다.

05

친구들이 블록 놀이를 하고 있어요. 창밖으로 멋진 풍경이 보이네요.
집 안과 창밖의 모습들을 보고 '**높다, 낮다**'로 이야기해 보세요.

엄마는 선생님!
산, 액자, 블록, 새, 고양이, 서랍장 등의 높이를 비교하여 '높다, 낮다'로 표현할 수 있습니다.

06 친구들이 놀이동산에 놀러 왔어요. 친구들은 놀이동산에서 무엇을 하고 있을까요? 이야기를 보고 알맞은 곳에 **친구들을 붙여** 보세요. 활동지 ①

- 관람차 놀이기구의 가장 **높은 곳**에는 여자 친구가, 가장 **낮은 곳**에는 남자 친구가 있어요.
- 자동차 놀이기구에는 기다리는 줄이 **길고**, 관람차 놀이기구에는 기다리는 줄이 **짧아요**.
- 사진 찍는 장소의 **높은 곳**에는 아이가, **낮은 곳**에는 엄마가 있어요.

활동지 붙이는 곳

친구들이 있는 위치를 비교하여 '높다, 낮다'를, 놀이기구 앞에 늘어선 줄의 길이를 비교하여 '길다, 짧다'를 말할 수 있습니다.

역도 경기가 열리고 있어요. 역도 선수가 역기를 들려고 하네요. 활동지를 펼쳐서 역도 선수의 모습을 보고 **무거운 역기, 가벼운 역기**를 찾아보세요. 활동지 ④ ⑤

엄마는 선생님!

역도 선수의 표정을 보고 역기의 무게를 비교하여 **'무겁다, 가볍다'**를 알 수 있습니다.

08

공원에 사람들이 많이 있네요. 친구들은 공원에서 무엇을 하고 있나요?
공원 안 사람들의 모습을 '**무겁다, 가볍다**'로 이야기해 보세요.

엄마는 선생님!

시소, 물건을 든 사람의 표정, 해먹, 말타기, 운동 기구를 든 사람의 표정을 보고 무게를 비교하여 **'무겁다, 가볍다'**로 표현할 수 있습니다.

09 친구가 눈을 가리고 2개 물건의 무게를 비교하고 있네요. 직접 눈을 가려 물건의 무게를 비교해 보고, **더 무거운 물건**을 찾아보세요.

① 집에 있는 물건 중에서 무게를 비교할 수 있는 물건들을 준비합니다.

② 엄마는 무게를 비교할 2개의 물건을 고르고, 아이는 가면을 사용해 눈을 가립니다.

③ 엄마는 2개의 물건을 아이의 양손에 1개씩 올려놓고 더 무거운 물건을 고르게 합니다.

④ 아이에게 가면을 벗고 무거운 물건을 고른 것이 맞는지 확인하게 합니다.

어떤 물건이
더 무거울까?

엄마! 오른손에 있는
물건이 **더 무거워요!**

엄마는 선생님!

2개의 물건을 양손에 들어 보는 활동을 통해 체감적으로 무게를 비교할 수 있습니다.

10

친구들이 고양이 카페에 왔어요. 고양이들이 상자 안에 숨어 있네요. 활동지를 펼쳐서 고양이가 **많이 있는 상자와 적게 있는 상자**를 찾아보세요. 활동지 ⑥

엄마는 선생님!

상자 안에 있는 고양이의 수를 비교하여 **'많다, 적다'**를 알 수 있습니다.

11

마트에 여러 종류의 물건들이 있네요. 친구들은 마트에서 무엇을 사려고 할까요?
마트 안의 모습들을 보고 '**많다, 적다**'로 이야기해 보세요.

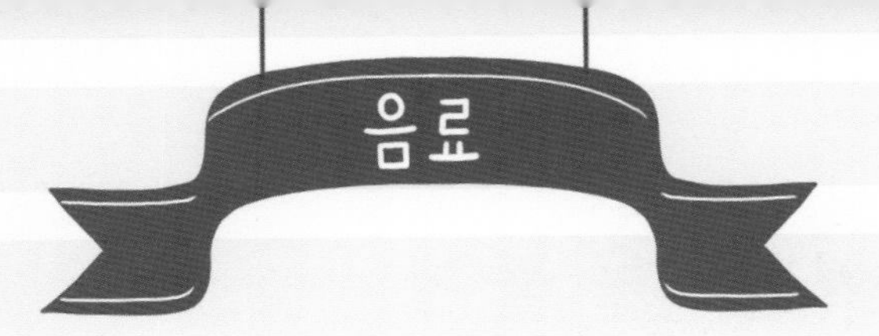

엄마는 선생님!

과일, 카트 안의 물건, 생선, 음료의 양, 쌓여 있는 물건, 계산대의 물건 등의 개수와 양을 비교하여 **'많다, 적다'**로 표현할 수 있습니다.

12 식탁 위에 여러 가지 음식들이 있어요. 친구들의 이야기를 보고 알맞은 곳에 **음식을 붙여** 보세요. 활동지 ②

엄마는 선생님!

바구니에 담긴 사탕의 개수를 비교하여 '많다, 적다'를, 양팔 저울의 기울어진 모습을 보고 무게를 비교하여 '무겁다, 가볍다'를 말할 수 있습니다.

13

아빠들이 잔디밭에 꽃을 심으려고 땅을 고르게 정리하고 있어요.
활동지를 펼쳐서 **더 넓은 꽃밭**을 찾아보세요. 활동지 7

엄마는 선생님!

꽃밭의 넓이를 비교하여 **'넓다, 좁다'**를 알 수 있습니다.

14

식물원에는 예쁜 꽃들이 있고, 동물원에는 말과 양이 있네요. 다른 곳에는 무엇이 있나요?
그림 안의 모습들을 보고 **'넓다, 좁다'**로 이야기해 보세요.

엄마는 선생님!

꽃밭, 돗자리, 길, 동물 우리의 넓이를 비교하여 **'넓다, 좁다'**로 표현할 수 있습니다.

15 친구가 아빠와 함께 신문지 땅 게임을 하고 있어요. 누구의 신문지 땅이 **더 넓을까요?**

❶ 각자 신문지 1장을 바닥에 펼쳐 놓고 그 위에 섭니다.

❷ 가위바위보를 하여 진 사람은 신문지를 절반만큼 접고, 그 위에서 앉았다 일어섭니다. 이때 넘어지면 게임에서 지게 됩니다.

❸ ❷를 8번 반복한 후, 신문지 땅의 넓이가 더 넓은 사람이 이깁니다.

엄마는 선생님!

신문지를 절반씩 접는 활동을 통해 신문지의 넓이가 점점 좁아진다는 것을 알 수 있습니다.

16

친구들이 호박을 따려고 하네요. 어느 친구가 **더 큰 호박**을 딸까요?
활동지를 펼쳐서 확인해 보세요. 활동지 8

2
활동지 붙이는 곳
엄마는 선생님!
호박의 크기를 비교하여 '크다, 작다'를 알 수 있습니다.

17

옷 가게에는 여러 가지 물건들이 있어요. 친구들은 가게에서 무엇을 사려고 할까요?
가게 안의 모습들을 보고 **'크다, 작다'**로 이야기해 보세요.

엄마는 선생님!

사람의 키, 옷, 가방, 거울, 신발, 화분, 모자 등의 크기를 비교하여 **'크다, 작다'**로 표현할 수 있습니다.

18 동물원에 소풍을 왔어요. 친구들이 구경하고 있는 동물은 무엇일까요? 이야기를 보고 알맞은 곳에 **동물을 붙여** 보세요. 활동지 ⑧

- 땅이 있는 우리 중 미어캣은 좁은 우리에 있고, 사슴은 넓은 우리에 있어요.
- **키가 더 큰** 나무에만 코알라가 있어요.
- 물이 있는 우리 중 악어는 좁은 우리에 있고, 하마는 넓은 우리에 있어요.

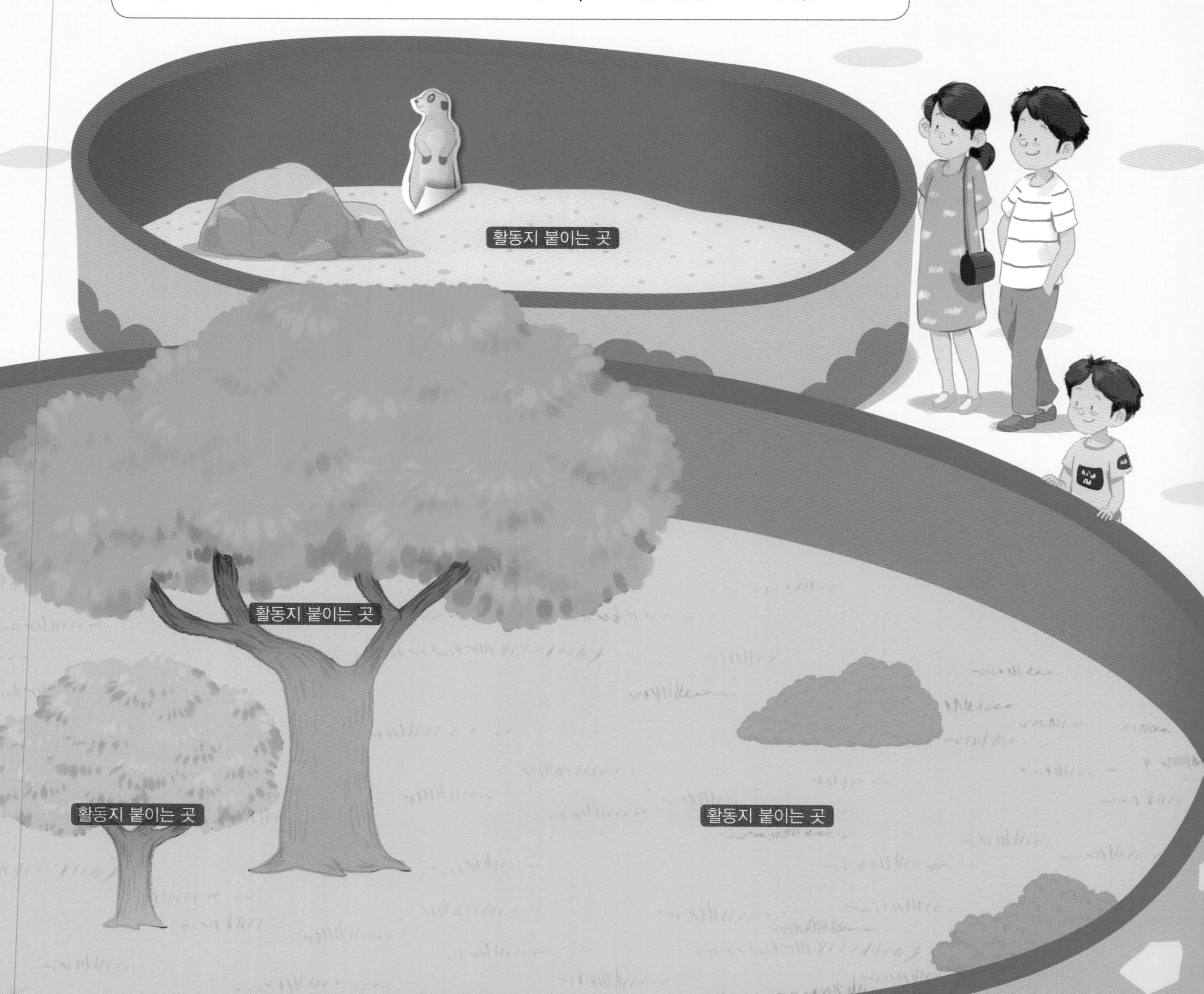

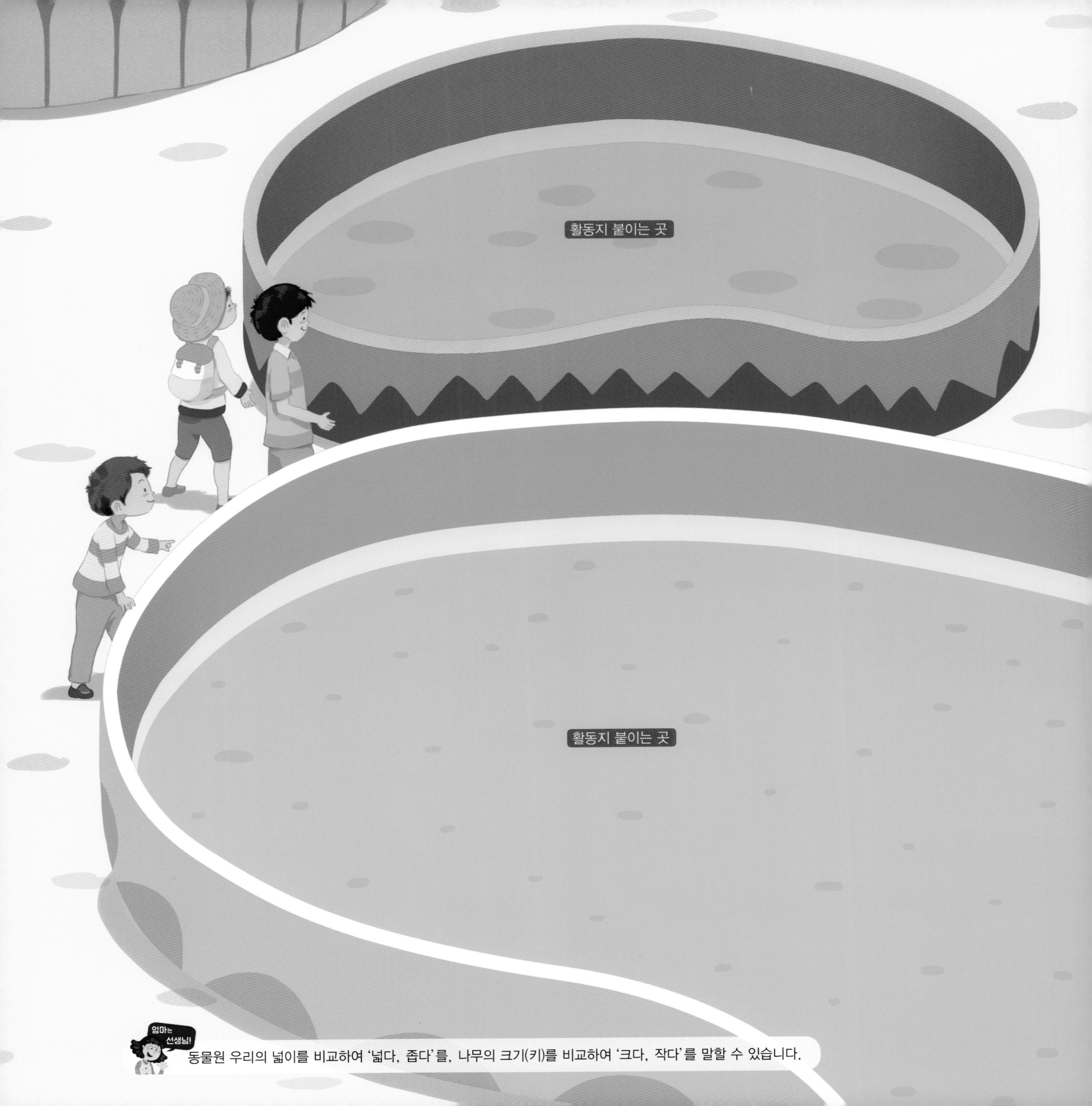

활동지 붙이는 곳

활동지 붙이는 곳

엄마는 선생님!

동물원 우리의 넓이를 비교하여 '넓다, 좁다'를, 나무의 크기(키)를 비교하여 '크다, 작다'를 말할 수 있습니다.

19
친구가 아빠를 향해 달려가고 있어요. 친구가 아빠와 가까워지려면 어떻게 해야 할까요?
친구를 오른쪽, 왼쪽으로 움직여 확인해 보세요. 활동지 9

2 활동지 붙이는 곳

엄마는 선생님!

친구를 오른쪽, 왼쪽으로 움직여 아빠와 친구 사이의 거리를 비교하여 **'멀다, 가깝다'**를 알 수 있습니다.

20

친구들이 할머니 집에 가려고 해요. 할머니 집은 어디일까요?
그림 안의 모습들을 보고 '**멀다, 가깝다**'로 이야기해 보세요.

엄마는 선생님!

집, 나무, 가로등, 갈매기, 배, 섬까지의 거리를 비교하여 **'멀다, 가깝다'** 로 표현할 수 있습니다.

21

아빠와 함께 우주선을 만들어 재미있는 게임을 해요. 우주선에 숨을 불어서
동전과 가까운 곳으로 우주선을 보내 보세요.

❶ 우주선을 만듭니다.

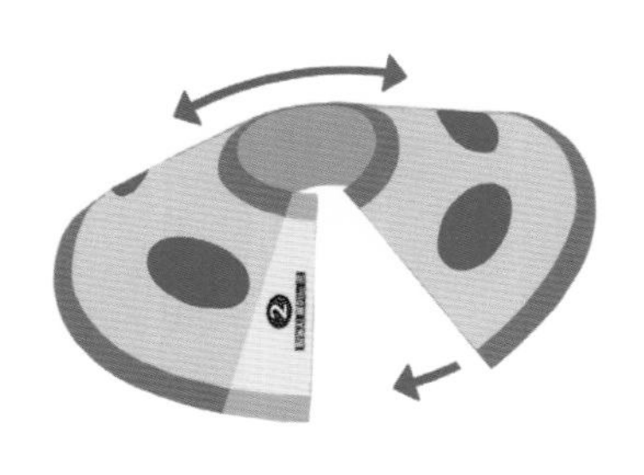

❷ 출발선에 우주선을 나란히 놓고, 우주선 도착 지점을 정하여 동전을 놓습니다.

❸ 동시에 각자 자신의 우주선 위쪽의 구멍 안으로 한 번만 숨을 붑니다.

❹ 동전과 더 가까운 곳으로 우주선을 보낸 사람이 이깁니다.

동전과 우주선 사이의 거리를 재어 보면서 거리를 비교할 수 있습니다.

22

북극에는 얼음으로 만든 이글루와 커다란 빙하가 있어요. 북극곰과 북극여우도 보이네요.
책을 펼쳐서 바닷속 **더 깊은 곳까지 있는 빙하**를 찾아보세요. 활동지 10

2
활동지 붙이는 곳

엄마는 선생님!
물고기와 빙하가 있는 곳의 깊이를 비교하여 '**깊다, 얕다**'를 알 수 있습니다.

23 친구들이 숲속에서 개미를 관찰하고, 땅을 파고 있어요. 다른 친구들은 무엇을 하고 있나요? 그림 안의 모습들을 보고 '**깊다, 얕다**'로 이야기해 보세요.

엄마는
선생님!
개미 집, 판 땅, 두더지 집, 나무뿌리, 물의 깊이 등을 비교하여 '깊다, 얕다'로 표현할 수 있습니다.

24 바닷속에는 여러 가지 생물이 살고 있어요. 이야기를 보고 알맞은 곳에 **물고기와 배를 붙여** 보세요. 활동지 ② ③

- **얕은** 바다에는 노란색 물고기들이,
  깊은 바다에는 초록색 물고기들이 살고 있어요.
- 등대에 **가까이** 있는 배는 빨간색 배이고,
  멀리 있는 배는 파란색 배예요.

배 붙이는 곳

엄마는 선생님!

물고기가 있는 바다의 깊이를 비교하여 '깊다, 얕다'를, 등대와 배 사이의 거리를 비교하여 '가깝다, 멀다'를 말할 수 있습니다.

25

신나는 운동회예요. 친구들이 달리기 경주를 하고 있네요.
어떤 팀이 **더 빨리 달리고** 있을까요? 활동지를 접으며 확인해 보세요. 활동지 11

1 활동지 붙이는 곳

활동지를 오른쪽으로 한 칸씩 접으면서 친구들의 빠르기를 비교하여 '빠르다, 느리다'를 알 수 있습니다.

26
친구들이 눈썰매를 타며 놀고 있어요. 다른 친구들은 어떤 놀이를 하고 있나요?
그림 안의 모습들을 보고 '빠르다, 느리다'로 이야기해 보세요.

자동차, 눈썰매, 얼음썰매, 돌고 있는 팽이의 빠르기를 비교하여 **'빠르다, 느리다'**로 표현할 수 있습니다.

27 엄마와 함께 바람개비를 만들어 보세요. 바람개비가 **빨리 돌아가게 하려면** 어떻게 해야 할까요?

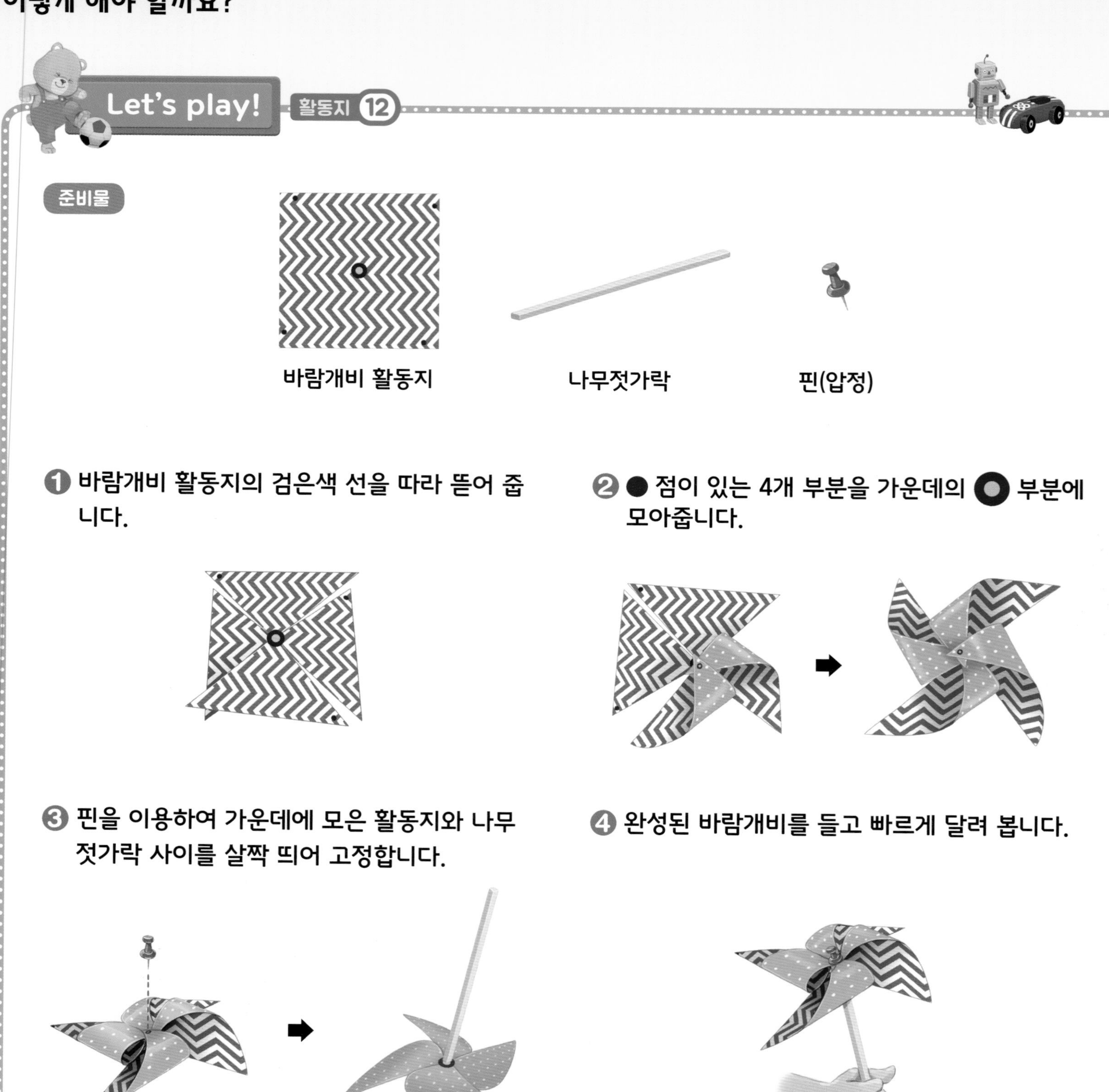

Let's play! 활동지 12

준비물

바람개비 활동지

나무젓가락

핀(압정)

❶ 바람개비 활동지의 검은색 선을 따라 뜯어 줍니다.

❷ ● 점이 있는 4개 부분을 가운데의 ◉ 부분에 모아줍니다.

❸ 핀을 이용하여 가운데에 모은 활동지와 나무젓가락 사이를 살짝 띄어 고정합니다.

❹ 완성된 바람개비를 들고 빠르게 달려 봅니다.

빠르게 달리니까
바람개비가 **빨리** 돌아가네~

엄마는 선생님!

달리는 속도에 따라 바람개비가 빠르게 또는 느리게 도는 모습을 보고 빠르기를 알 수 있습니다.

28 친구가 엄마와 함께 맛있는 샌드위치를 만들었어요. 누가 만든 샌드위치가 더 두꺼울까요? 활동지 12

엄마는 선생님!

샌드위치의 두께를 비교하여 '**두껍다, 얇다**'를 알 수 있습니다.

29

친구는 엄마와 함께 음식을 만들고, 동생은 방을 청소하고 있네요.
집 안의 모습들을 보고 '**두껍다, 얇다**'로 이야기해 보세요.

엄마는 선생님!

썰어 놓은 채소, 액자, 옷, 이불, 책의 두께를 비교하여 **'두껍다, 얇다'**로 표현할 수 있습니다.

30 친구들이 방 안에서 여러 가지 놀이를 하고 있네요. 친구들의 이야기를 보고 알맞은 곳에 **책, 선풍기, 종이비행기와 딱지를 붙여** 보세요. 활동지 10

나는 두꺼운 책을 가져갈 거야!

나는 얇은 책을 가져갈 거야!

책 붙이는 곳

책 붙이는 곳

물건의 두께를 비교하여 '두껍다, 얇다'를, 선풍기 날개가 돌아가는 빠르기를 비교하여 '빠르다, 느리다'를 말할 수 있습니다.

MEMO

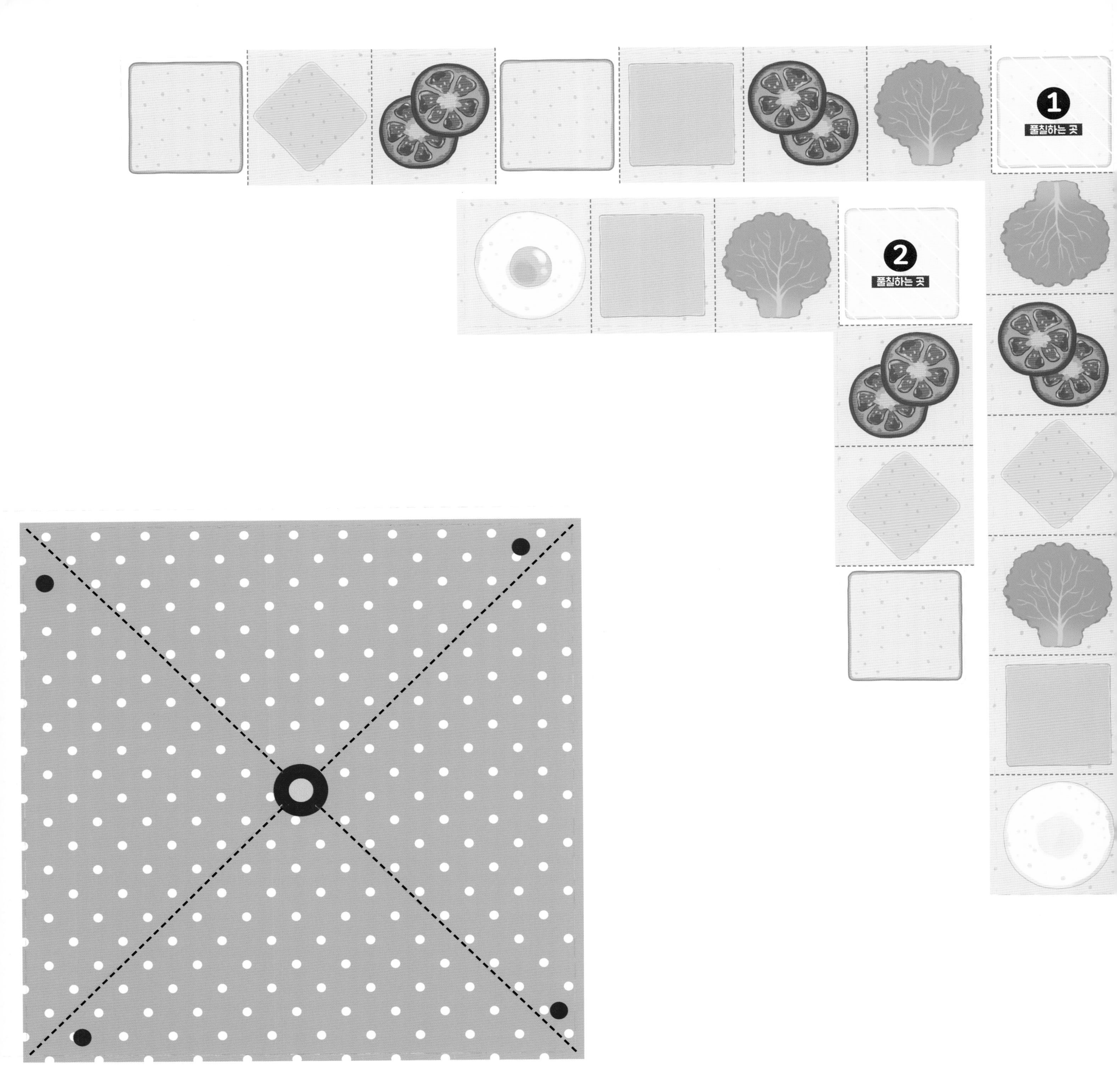

1
풀칠하는 곳
2
풀칠하는 곳

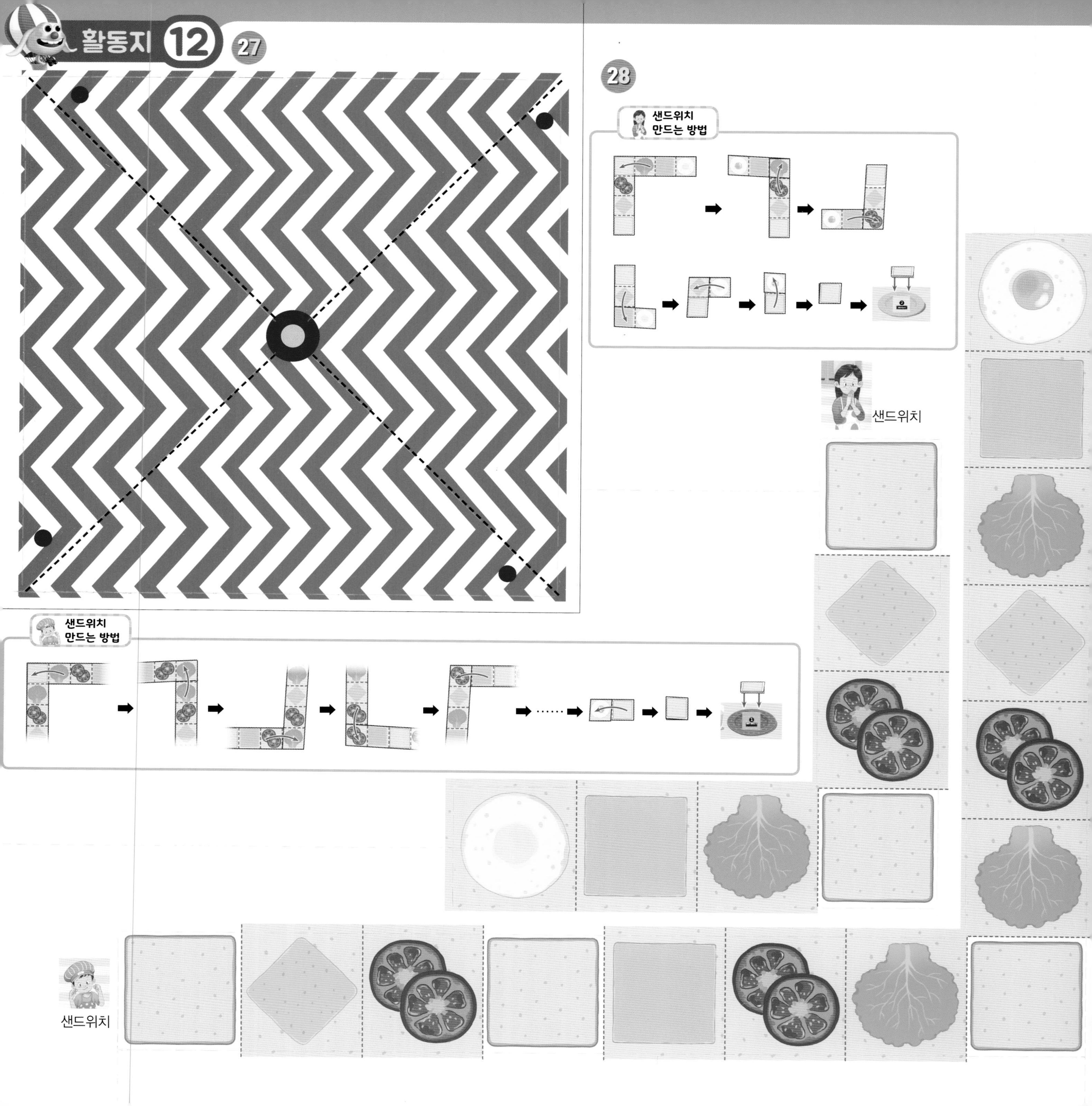
27
28
샌드위치
만드는 방법
샌드위치
샌드위치
만드는 방법
샌드위치

1
풀칠하는 곳

2
풀칠하는 곳

활동지 11

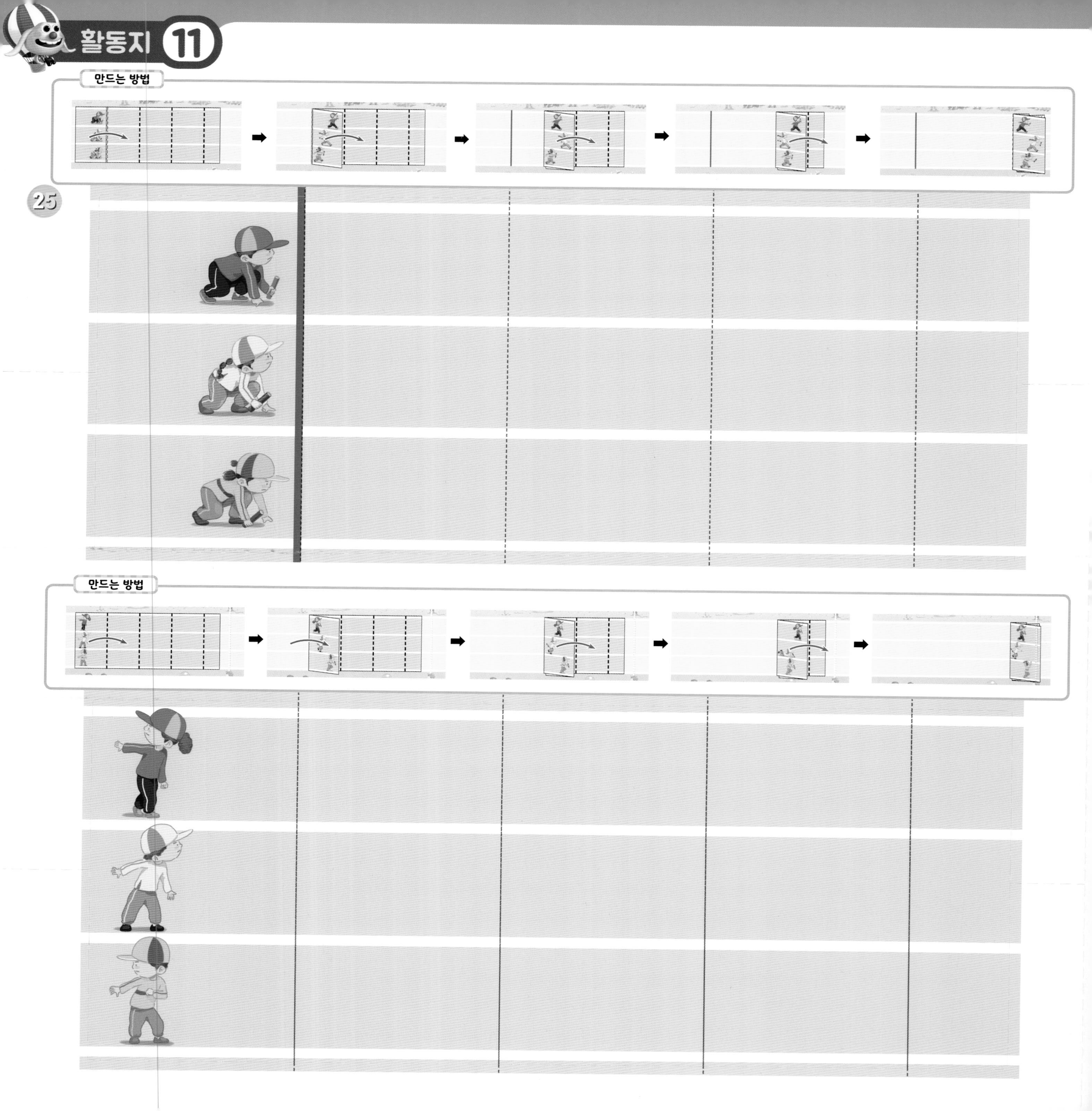

만드는 방법
❹ 활동지 붙이는 곳
❸ 활동지 붙이는 곳

활동지 10

22

3
풀칠하는 곳

4
풀칠하는 곳

1
풀칠하는 곳

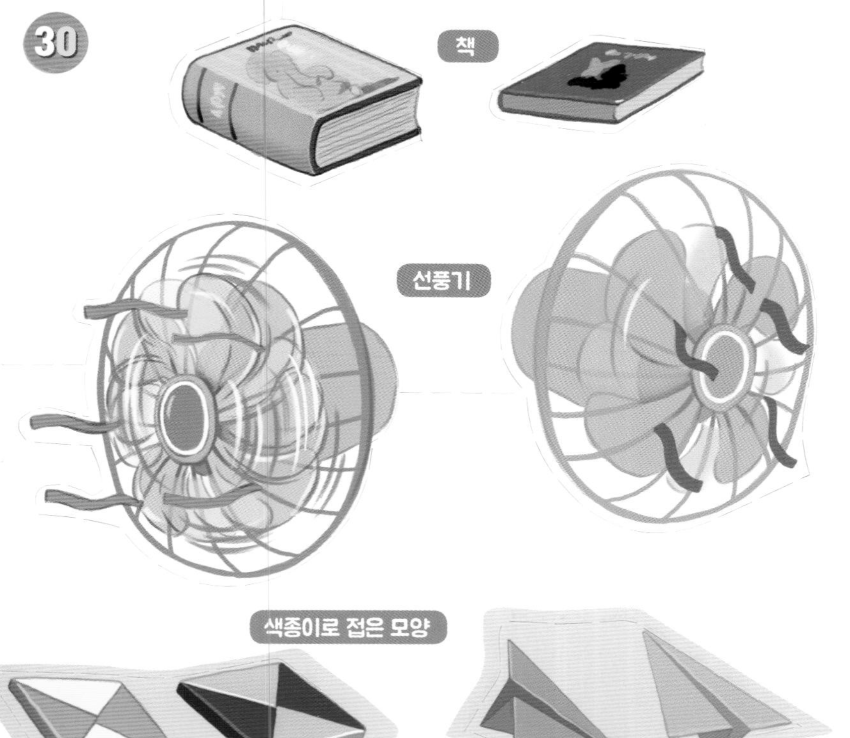

2 풀칠하는 곳

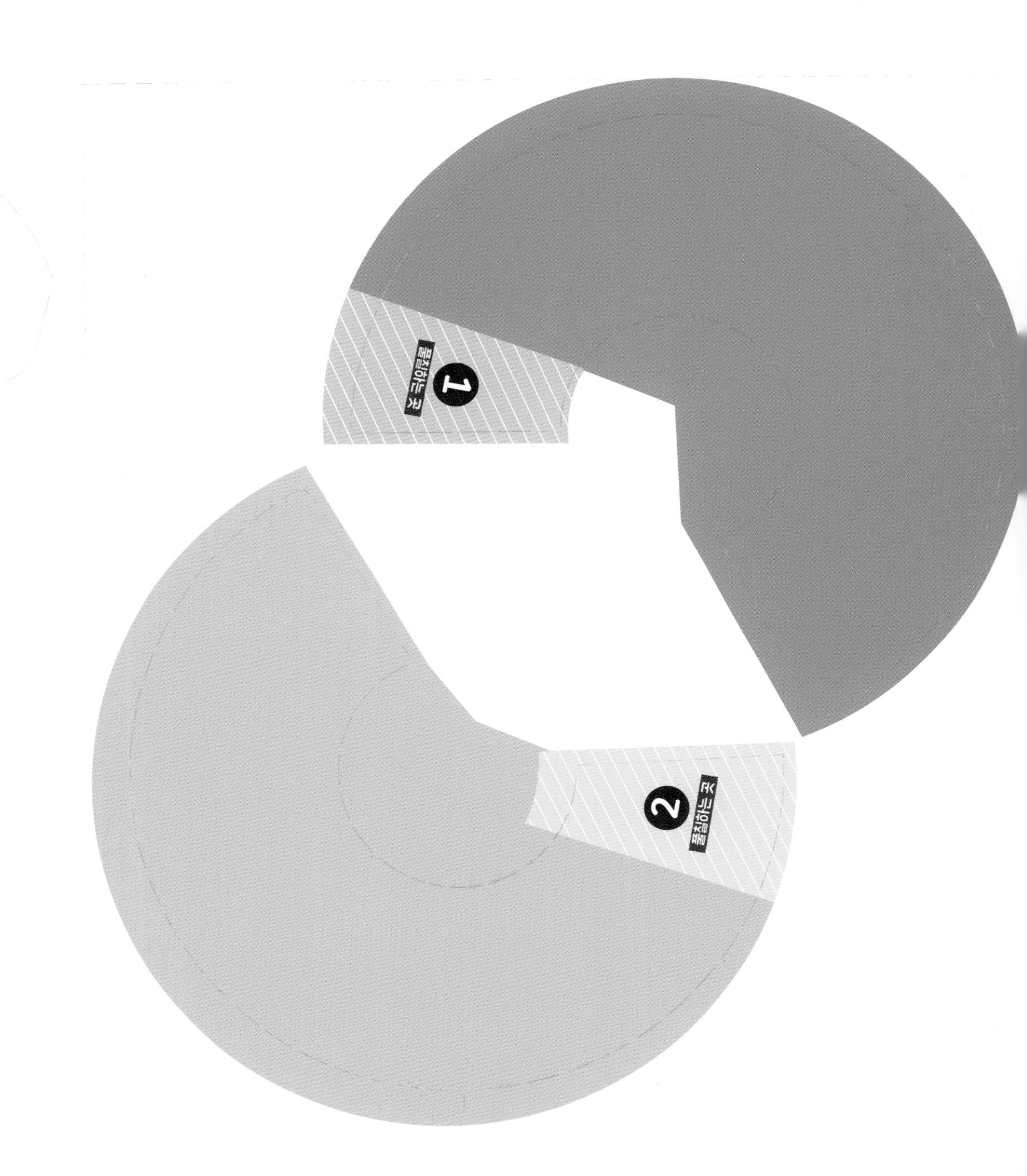

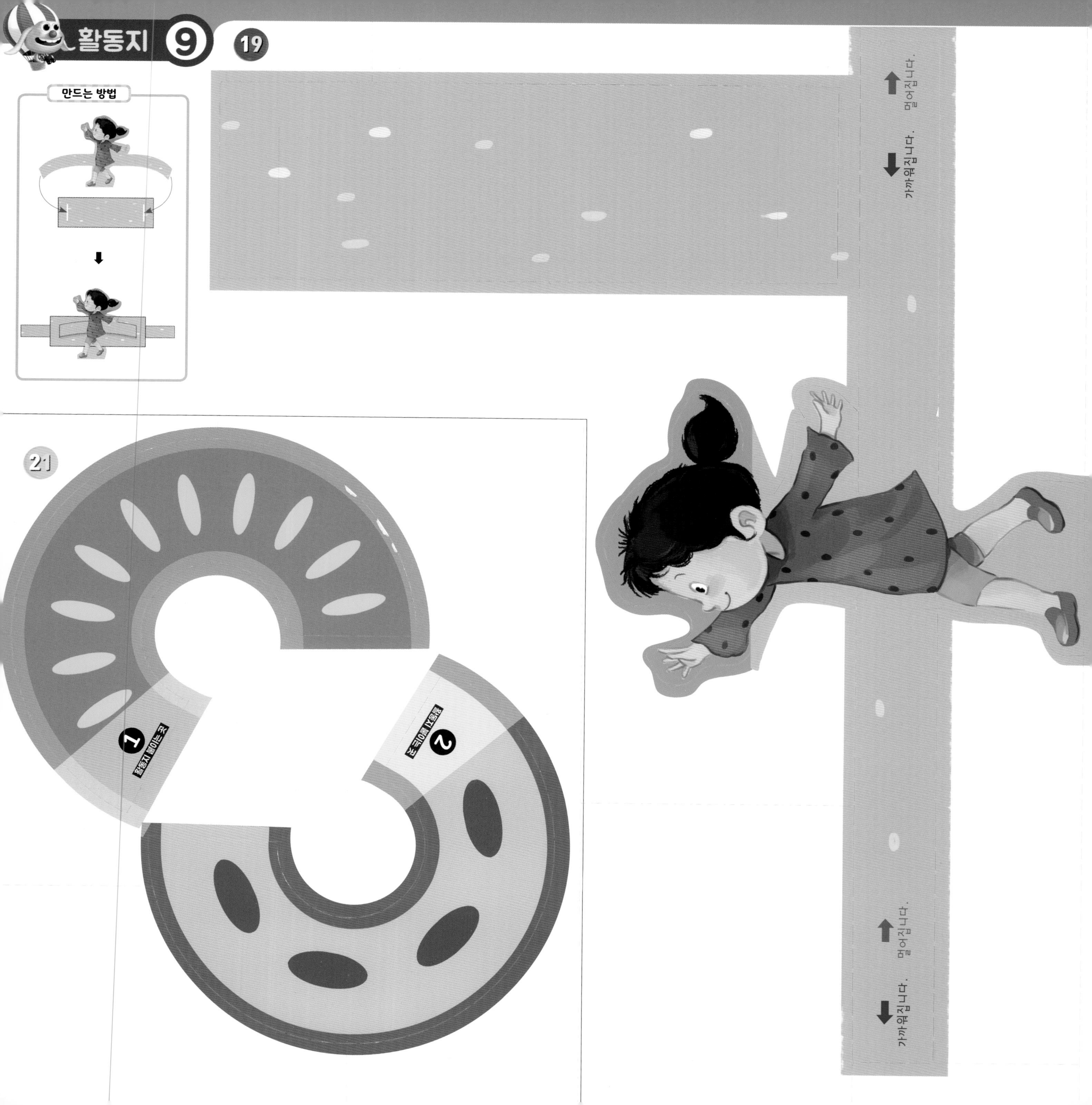

활동지 9
19
만드는 방법
멀어집니다.
가까워집니다.
21
활동지 붙이는 곳
멀어집니다.
가까워집니다.

활동지 8
16
만드는 방법
1
풀칠하는 곳
만드는 방법
2
풀칠하는 곳
18
하마
사슴
악어
미어캣
코알라

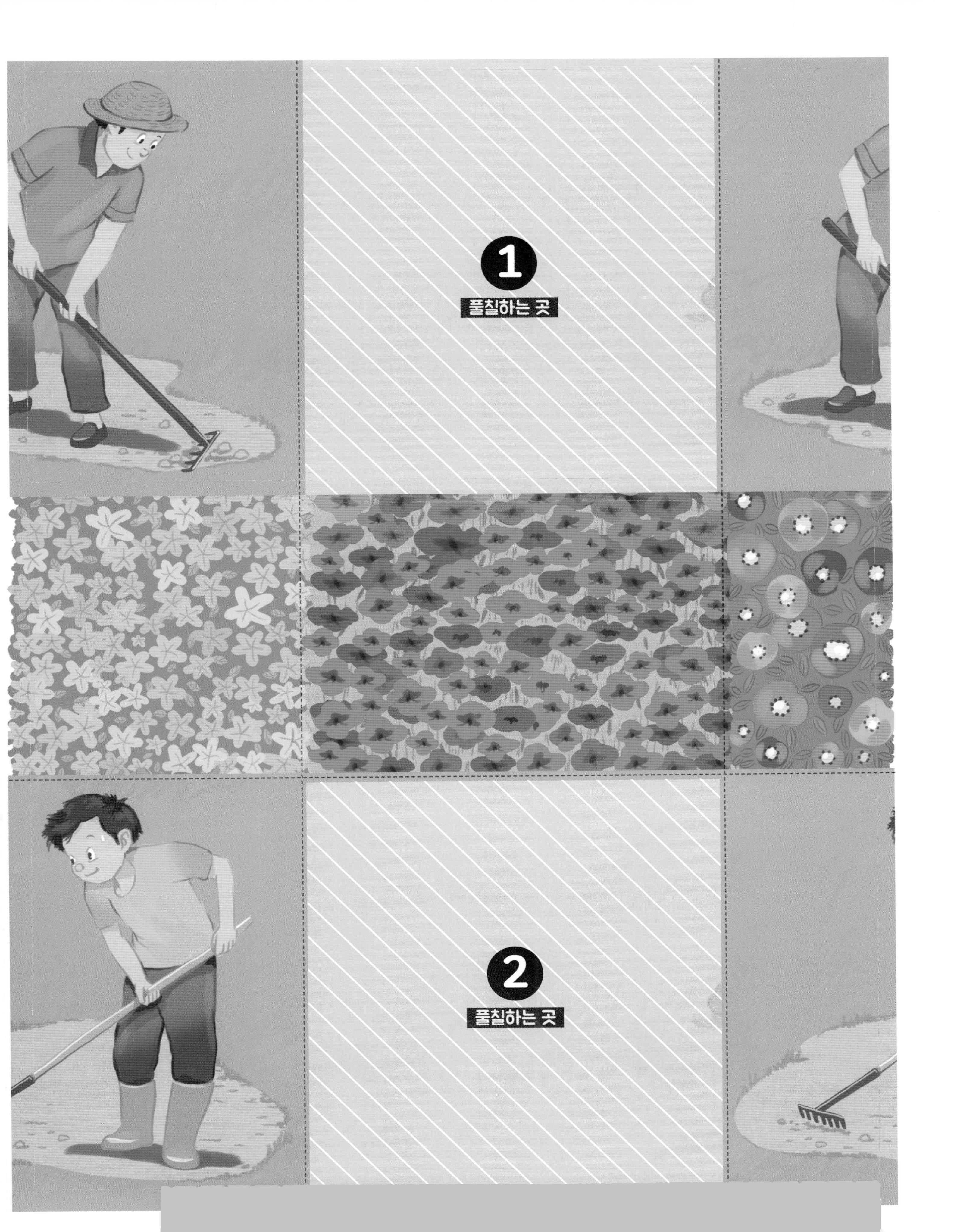
1
풀칠하는 곳
2
풀칠하는 곳

13

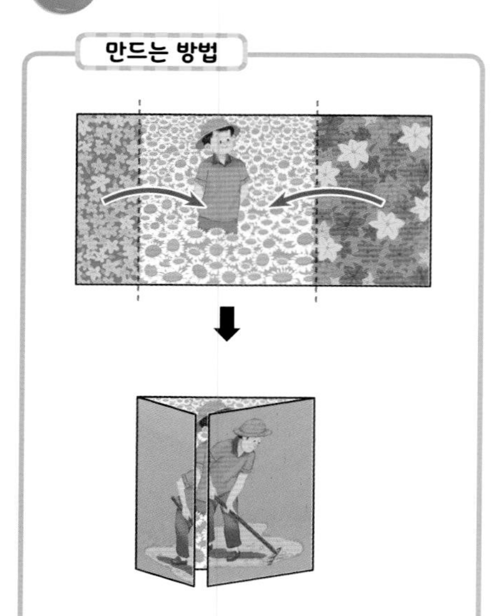

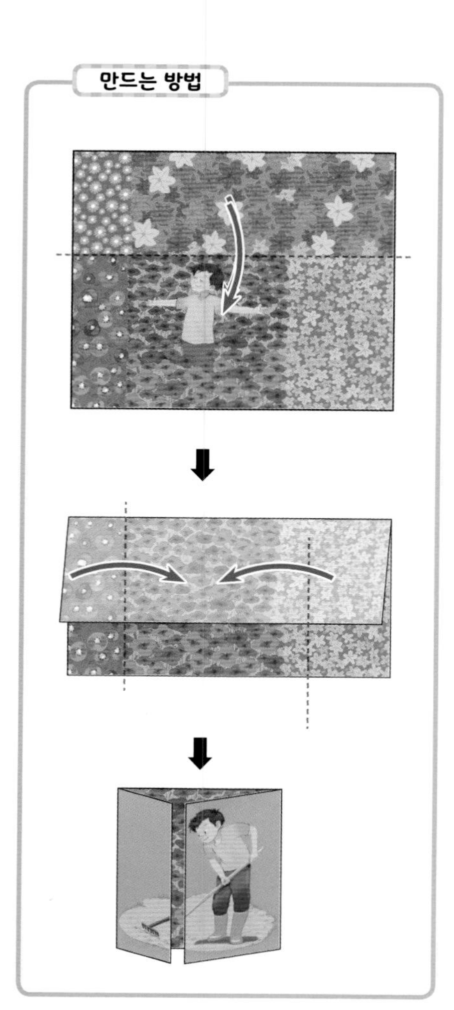

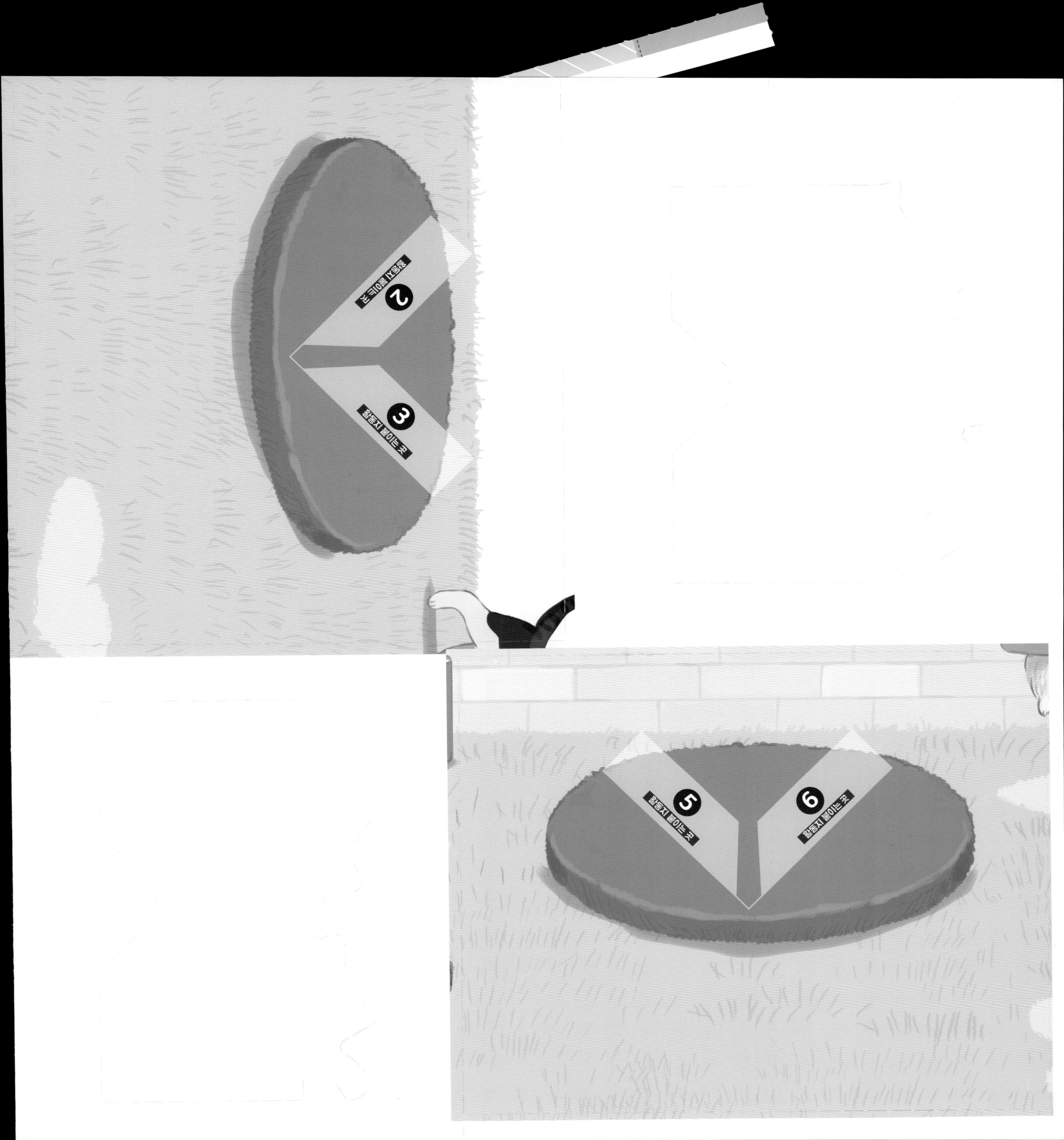
2 활동지 붙이는 곳
3 활동지 붙이는 곳
5 활동지 붙이는 곳
6 활동지 붙이는 곳

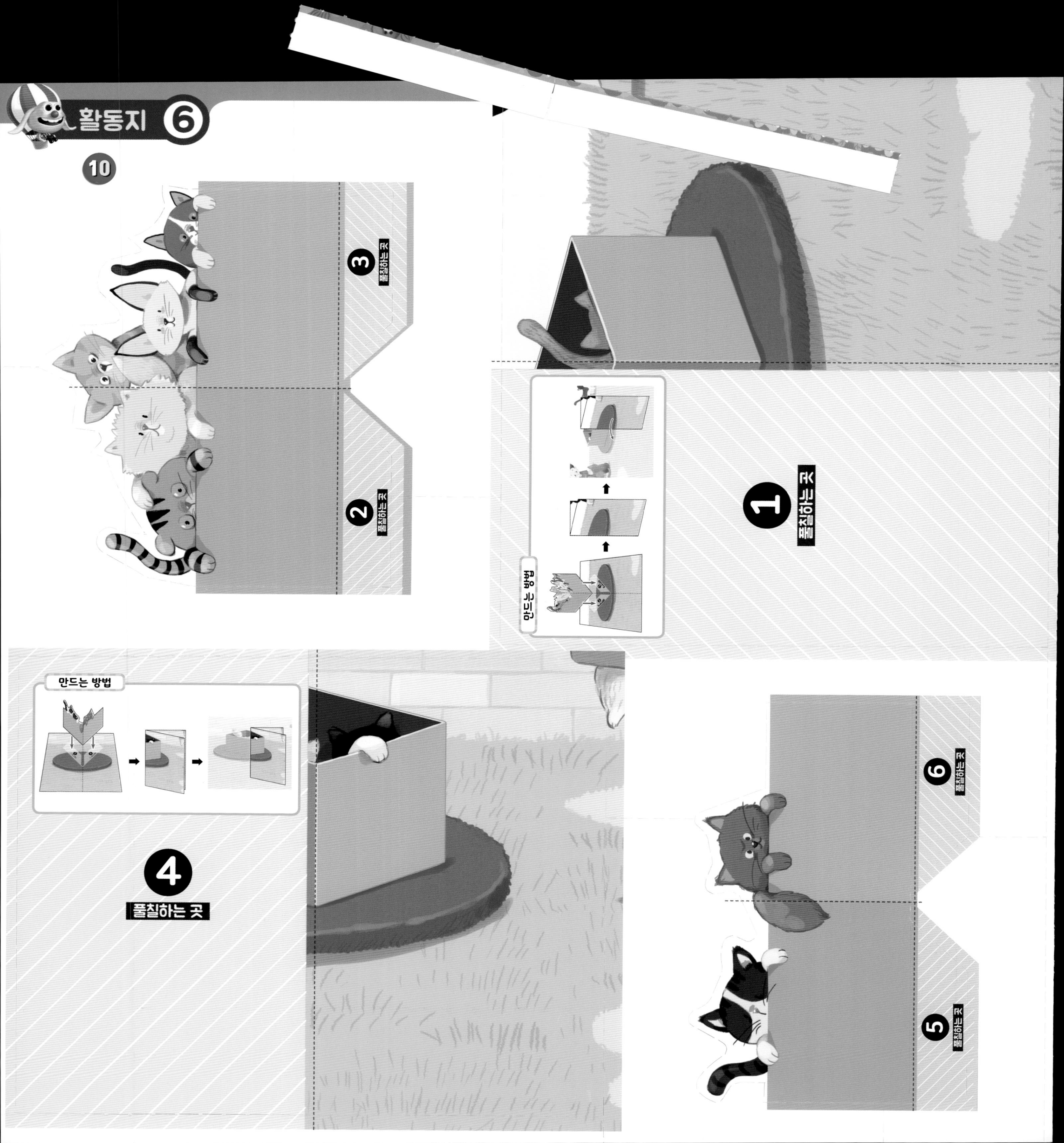
활동지 6
10
3 풀칠하는 곳
2 풀칠하는 곳
1 풀칠하는 곳
만드는 방법
만드는 방법
4 풀칠하는 곳
6 풀칠하는 곳
5 풀칠하는 곳

07

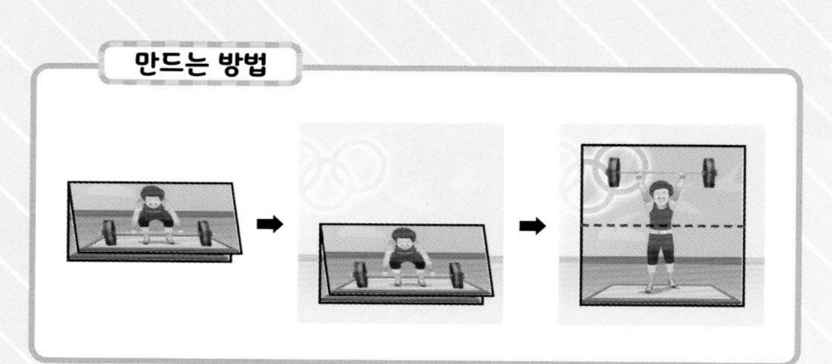

2

풀칠하는 곳

07

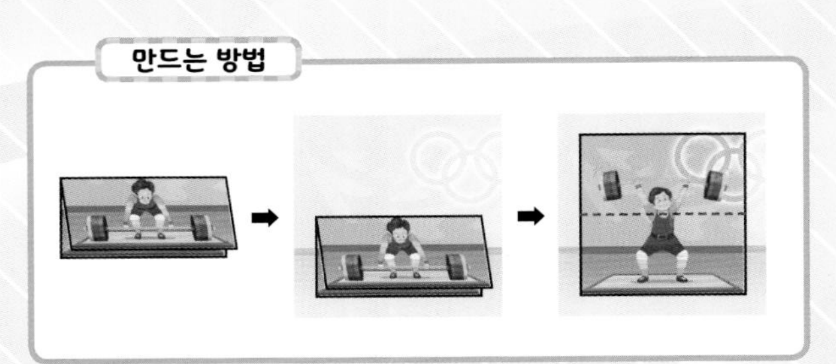

1

풀칠하는 곳

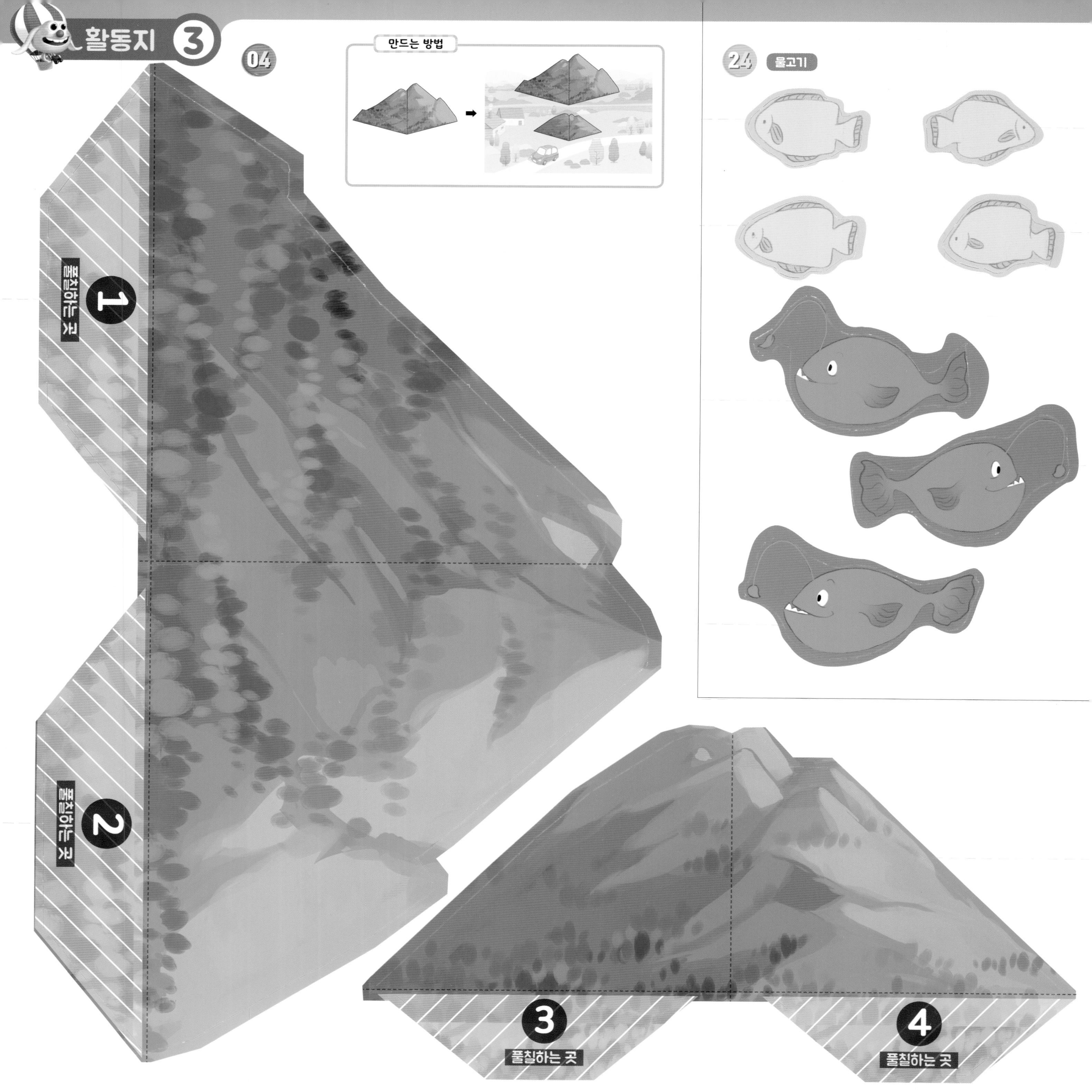
활동지 3
04
만드는 방법
풀칠하는 곳
1
2
풀칠하는 곳
3
풀칠하는 곳
4
풀칠하는 곳
24
물고기

5 풀칠하는 곳
3 풀칠하는 곳
6 풀칠하는 곳
4 풀칠하는 곳

03

1 풀칠하는 곳
2 풀칠하는 곳
3 풀칠하는 곳
5 풀칠하는 곳
6 풀칠하는 곳
4 풀칠하는 곳
1 활동지 붙이는 곳
2 활동지 붙이는 곳

12

사탕

24 배

2
풀칠하는 곳

1
풀칠하는 곳

활동지 ①

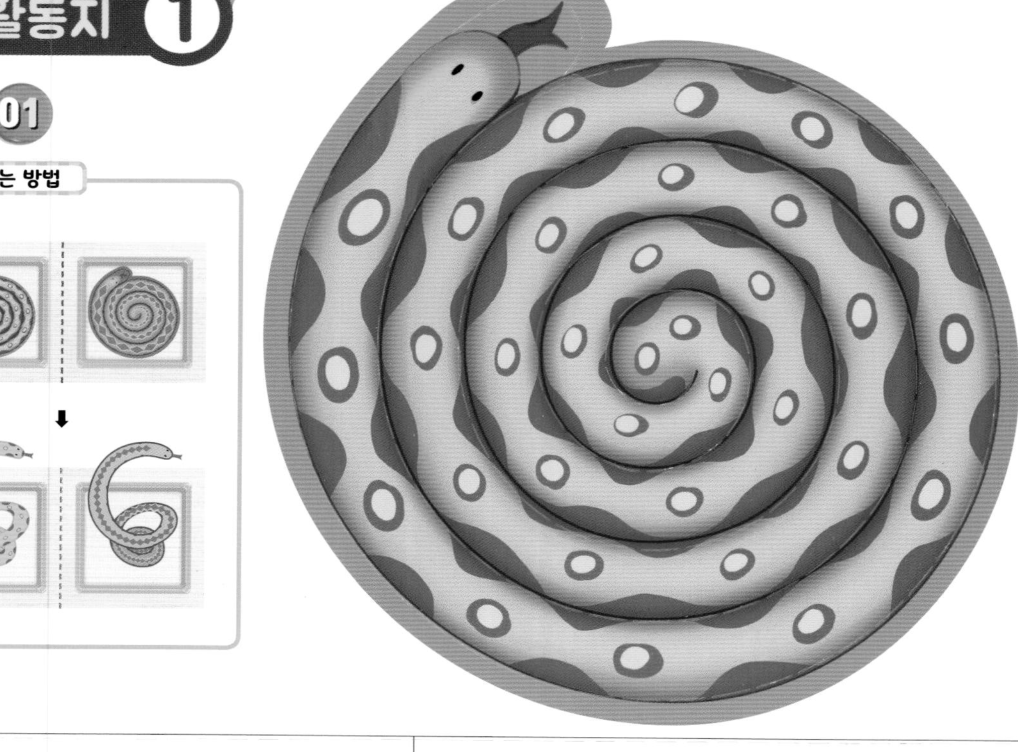

06

관람차 놀이기구